跟着古诗词去旅行

江南烟雨篇

苏莫女/编著
蒋文婕/绘

SPM 南方出版传媒
全国优秀出版社 全国百佳图书出版单位 广东教育出版社
·广州·

图书在版编目（CIP）数据

跟着古诗词去旅行.江南烟雨篇 / 苏莫女编著；蒋文婕绘. —广州：广东教育出版社，2020.1
ISBN 978-7-5548-2807-6

Ⅰ.①跟… Ⅱ.①苏…②蒋… Ⅲ.①古典诗歌—诗集—中国 Ⅳ.①I222

中国版本图书馆CIP数据核字（2019）第087967号

责任编辑：郝琳琳　柴　瑶
责任技编：涂晓东
装帧设计：邓君豪

GENZHE GUSHICI QU LÜXING　JIANGNAN YANYU PIAN
跟着古诗词去旅行　江南烟雨篇
广东教育出版社出版发行
（广州市环市东路472号12-15楼）
邮政编码：510075
网址：http://www.gjs.cn
广东新华发行集团股份有限公司经销
广州市岭美文化科技有限公司印刷
(广州市荔湾区花地大道南海南工商贸易区A幢)
889毫米×1194毫米　24开本　6.25印张　125 000字
2020年1月第1版　2020年1月第1次印刷
ISBN 978-7-5548-2807-6
定价：39.00元
质量监督电话：020-87613102　邮箱：gjs-quality@nfcb.com.cn
购书咨询电话：020-87615809

目录

浙江 烟雨江南里的蓬勃生命力

江苏 江山常迟暮，看历史里人来人往

浙　江

烟雨江南里的蓬勃生命力

写在旅行前

关于旅行，我不认为非要把孩子扔到苦寒之地去体验贫瘠，

非要把旅途弄得疲惫狼狈以增加孩子的毅力。

挫败与磨砺，成长自会给他，

我们需要的，

是在此之前给他储备足够的温暖、智慧与爱，

让他看到世界里的美好，把美好和温暖根植在他的生命里，

让他在旅途中学会思考，学会爱与被爱，

感知蓬勃的生命力，从而足以对抗世界的残酷。

这样，他更容易幸福一些。

浙江这片温暖的地域，具有一切美好的因素：

风光旖旎的天目山，荷香漫天的西湖，

“不畏浮云遮望眼”的飞来峰等，

江南水乡的柔情在诗歌里比比皆是。

除去略显难懂的诗歌，旅途中再多些孩子感兴趣的常识与好听的故事。

在杭州，读《回乡偶书》，

给孩子讲讲人生可能会有的境遇；

在西湖，看浩渺无尽的碧绿莲叶，

讲白素贞和许仙的爱情故事；

到了绍兴，讲绍兴的乌毡帽、讲鲁迅先生的故事；

…………

看鸟飞蓝天，鱼翔浅底，

看烟雾水乡，云卷云舒，

看黄梅时雨，西湖荷花，

给每一阵雨、每一缕风取个名字，

让这些名字组成旅行中的记忆。

旅行路线图

衢州市

第一站：杭州市

题临安邸

宋·林升

山外青山楼外楼，
西湖歌舞几时休。
暖风熏得游人醉，
直把杭州作汴州。

饮湖上初晴后雨二首（其二）

宋·苏轼

水光潋滟晴方好，
山色空濛雨亦奇。
若把西湖比西子，
淡妆浓抹总相宜。

回乡偶书二首（其一）

唐·贺知章

少小离家老大回，
乡音无改鬓毛衰。
儿童相见不相识，
笑问客从何处来。

宿建德江

唐·孟浩然

移舟泊烟渚，
日暮客愁新。
野旷天低树，
江清月近人。

晓出净慈寺送林子方

宋·杨万里

毕竟西湖六月中，
风光不与四时同。
接天莲叶无穷碧，
映日荷花别样红。

题临安邸

宋·林升

山外青山楼外楼，

西湖四周青山绵延，楼阁望不到尽头，

西湖歌舞几时休。

西湖游船上的歌舞，什么时候才能停休？

暖风熏得游人醉，

暖洋洋的风吹得游人醉醺醺的，

直把杭州作汴州。

简直是把杭州当作昔日的汴京。

中国八大古都

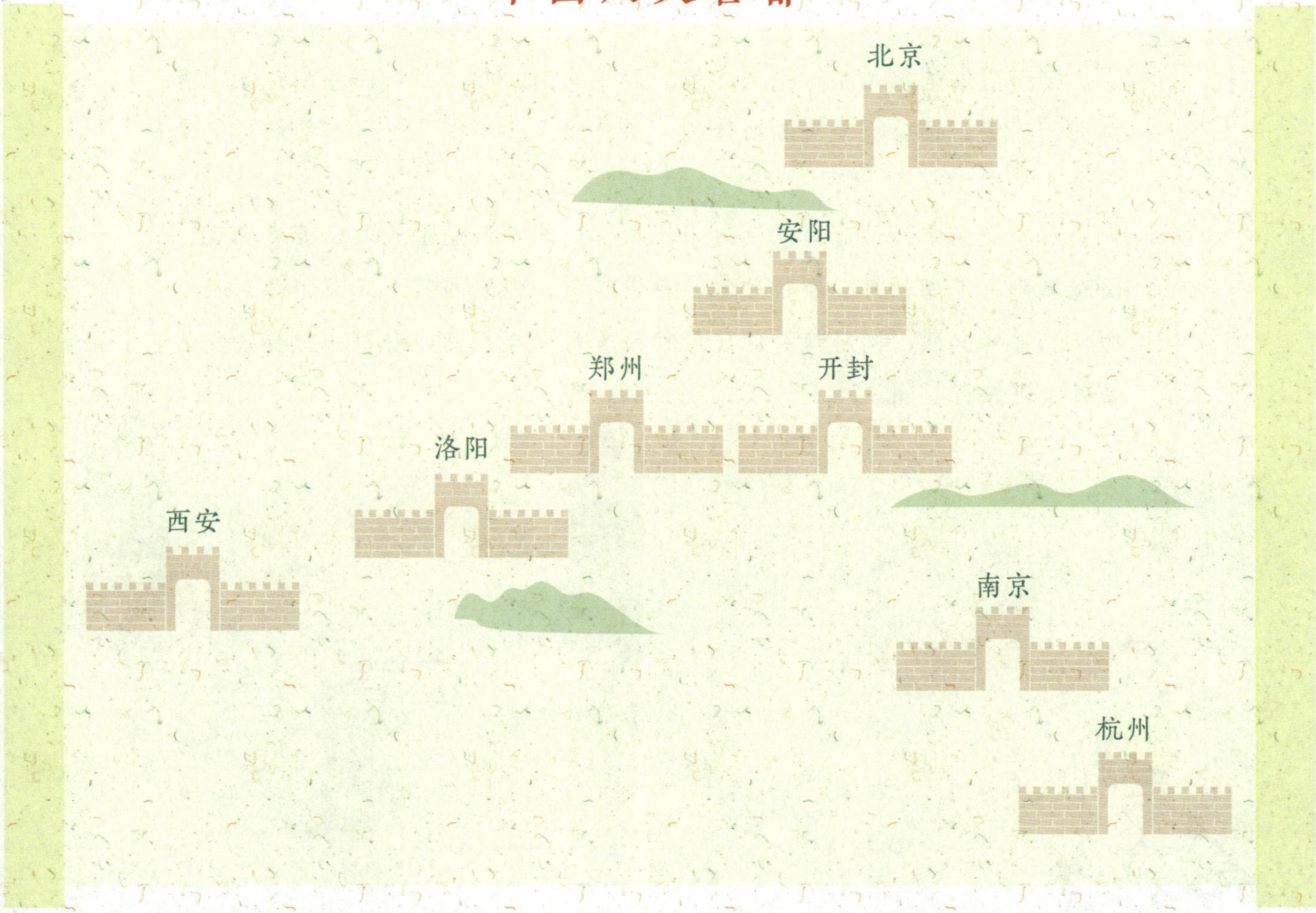

杭州西湖

杭州西湖是杭州旅行必去之地。西湖的南、北、西三面环山，湖中有白堤、苏堤、杨公堤等将湖面分割，景色宜人，不仅是一个自然湖，更是一个人文湖。

西湖美景中，最有名的莫过于流传甚广的“西湖十景”：苏堤春晓、曲院风荷、平湖秋月、断桥残雪、花港观鱼、柳浪闻莺、三潭印月、双峰插云、雷峰夕照、南屏晚钟。父母和孩子可以根据具体安排和想要感受的景色决定旅行时间。

饮湖上初晴后雨二首（其二）

宋·苏轼

水光潋滟晴方好，

晴天，西湖的水在阳光的照耀下，光彩熠熠，美丽极了，

山色空濛雨亦奇。

雨天，迷蒙的雨笼罩着西湖四周的群山，若有若无。

若把西湖比西子，

如果把西湖比作西施，

淡妆浓抹总相宜。

不论是淡妆还是浓妆，
都能烘托出她的迷人韵味。

中国古代四大美女

中国古代四大美女是指：西施、王昭君、貂蝉、杨玉环，享有“沉鱼落雁之容，闭月羞花之貌”的美誉。

沉鱼 源于西施浣纱的故事：西施在河边浣纱时，鱼儿看到她美丽的倒影，忘记了游水，慢慢地沉到了河底。

落雁 源于昭君出塞的故事：昭君告别故乡、北上匈奴和亲时，大雁看到她的美丽容颜，忘记摆动翅膀，跌落地上。

闭月 源于貂蝉拜月的故事：貂蝉在祭拜月亮祈求天下太平时，忽然微风吹来，一块浮云遮住了明月，人们看到这景象，不由赞叹貂蝉倾国倾城的容貌，连月亮都羞愧地躲到云彩后面了。

羞花 源于贵妃醉酒的故事：杨玉环貌美如花，有一次她摸了一朵花，花瓣立刻收缩，这情形被宫女们看到了，便传为杨玉环和花儿比美，花儿都害羞地低下了头。

杭州西溪国家湿地公园

杭州西溪国家湿地公园位于浙江省杭州市区，生态环境优美，空气清新，是杭州旅行休闲的好去处。这里有“三堤十景”，“三堤”分别为福堤、绿堤、寿堤，十景分别是秋芦飞雪、火柿映波、龙舟胜会、莲滩鹭影、洪园余韵、蒹葭泛月、渔村烟雨、曲水寻梅、高庄晨迹、河渚听曲。

在园内，可以乘船经西溪河流主干道领略沿途的风景，感受独特的湿地风韵；在河渚街参观西溪人家的特产和生活方式，深入了解西溪风情；到湿地植物园、水文观测站、观鸟区来一次生态科普游；随意漫步园内，也是一次不错的健康徒步行。

回乡偶书二首（其一）

唐·贺知章

少小离家老大回，

我年少时离开家乡，到了迟暮之年才回来，

乡音无改鬓毛衰。

乡音虽然未改，鬓角的头发却已斑白。

儿童相见不相识，

家乡的孩童们看到我，没有一个人认识我，

笑问客从何处来。

他们笑着问我：客人您从哪里来呀？

古人的年龄称谓

称谓	注音	含义
垂髫	tiáo	指童年
及笄	jī	指女子15岁
弱冠		指男子20岁
而立		指30岁
不惑		指40岁
知命		指男子50岁
花甲		指60岁
古稀		指70岁
耄耋	mào dié	指80~90岁
期颐		指100岁

杭州清河坊

清河坊位于杭州市上城区，是杭州最繁华的商业步行街，地理位置极佳，靠近吴山和西湖风景区。

漫步清河坊，古色古香的建筑映入眼帘，街边的每个商铺都各具特色，仿佛走进了古时候的闹市。在清河坊还可以远眺到吴山的美景，漫山遍野的郁郁葱葱。清河坊有许多百年老店、工艺品展馆，如千年药店保和堂，展示烟草烟具历史文化的香溢馆，展示蓝印花布制作工艺的吴越人家，展示明清时期家具的观复博物馆，展示世界各国历史货币的钱币博物馆等，每一处都能让你一边享受缓慢时光，一边感受历史底蕴。

宿建德江

唐·孟浩然

移舟泊烟渚，

把小船停泊在烟雾迷蒙的小洲，

日暮客愁新。

茫茫暮色又给游子增添了几分新愁。

野旷天低树，

旷野无垠，远处的天空比树还低，

江清月近人。

江水清澈，明月与人更加情投意合。

“暮”的成语

暮鼓晨钟 早上敲钟，晚上打鼓。现多用来比喻可以使人警觉醒悟的话。

美人迟暮 原指有作为的人也将逐渐衰老。也比喻因日趋衰落而感到悲伤怨恨。

岁暮天寒 指年底的寒冷景象。

暮景残光 比喻风烛残年，余日无多。

烈士暮年，壮心不已 指英雄到了晚年，壮志雄心也并未衰减。

新叶古村

新叶古村位于浙江省杭州市建德市西南的大慈岩镇，是一个历史悠久、民风淳朴的古村。新叶古村的建筑类型丰富，被誉为“中国明清建筑露天博物馆”。这里的祠堂数量多，等级层次分明，规格齐全，记录了大量历史的民俗信息。

立于村口的抟云塔、文昌阁和土地祠，是新叶古村一处引人注目的建筑。抟云塔造型秀丽端庄，是新叶村人的文风塔，以祈求文运。文昌阁是文风塔的配套建筑，后紧贴文昌阁而建土地祠。

新叶古村宛如一处世外桃源，穿梭在古村的小街小巷里，打卡古建筑，感受古村的风土人情，来一场古色古香的邂逅吧。

晓出净慈寺送林子方

宋·杨万里

毕竟西湖六月中，

到底是六月的西湖，

风光不与四时同。

风光与其他季节确实不同。

接天莲叶无穷碧，

荷叶连接着天际，一片碧绿，

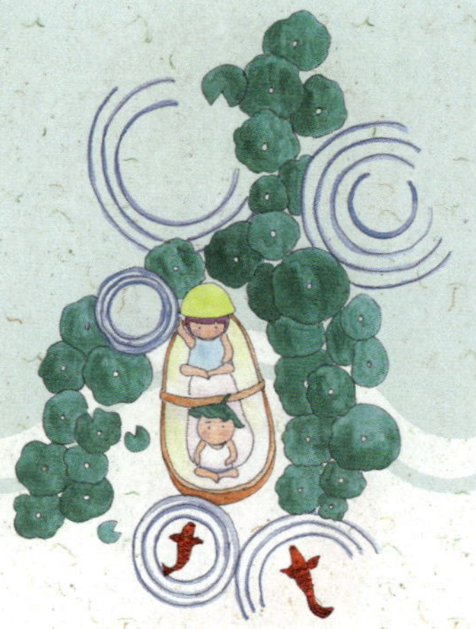

映日荷花别样红。

红日与荷花相辉映，色彩分外鲜艳娇红。

描写“荷”“莲”的诗句

小荷才露尖尖角，早有蜻蜓立上头。

——杨万里《小池》

绿竹含新粉，红莲落故衣。

——王维《山居即事》

荷风送香气，竹露滴清响。

——孟浩然《夏日南亭怀辛大》

予独爱莲之出淤泥而不染，濯清涟而不妖，中通外直，不蔓不枝，香远益清，亭亭净植，可远观而不可亵玩焉。

——周敦颐《爱莲说》

净慈寺和南屏山

净慈寺位于杭州西湖南岸，雷峰塔对面，南屏山慧日峰下。“西湖十景”中的“南屏晚钟”便是指南屏山净慈寺的钟声响彻西湖。依山而建的净慈寺历经千年，屡毁屡建，现存的寺宇、山门、钟楼等，都是在20世纪80年代重建的。净慈寺门右边有一座“南屏晚钟”碑亭，寺内有金刚殿、大雄宝殿、千佛阁等。

南屏山是九曜山的分支，石景颇多，因地处杭州城南，宛若屏障，所以称为南屏山。南屏山的主峰为慧日峰，林木繁茂，留有多处摩崖题刻和佛教古迹。

互动任务单

和爸爸妈妈游西湖，用手机或相机拍下西湖美景，并把照片贴在下面。

第二站：湖州市

宿新市徐公店二首（其一）

宋 · 杨万里

篱落疏疏一径深，
树头花落未成阴。
儿童急走追黄蝶，
飞入菜花无处寻。

渔歌子

唐 · 张志和

西塞山前白鹭飞，
桃花流水鳜鱼肥。
青箬笠，绿蓑衣，
斜风细雨不须归。

宿新市徐公店二首（其一）

宋·杨万里

篱落疏疏一径深，

在稀稀落落的篱笆旁，有一条小路伸向远方，

树头花落未成阴。

路边的树上花已经凋落，
但新叶刚刚长出，还没有形成树荫。

儿童急走追黄蝶，

一个孩子奔跑着追捕一只黄蝴蝶，

飞入菜花无处寻。

可是蝴蝶飞到菜花丛中就再也找不到了。

宿新市徐公店二首（其二）

宋 · 杨万里

春光都在柳梢头，
拣折长条插酒楼。
便作在家寒食看，
村歌社舞更风流。

新市古镇

新市古镇位于湖州市德清县东部，临河而建，傍桥而市，有着典型的江南风情，与乌镇、西塘、南浔、周庄都只相隔30公里，其民俗文化和商贸文化极具特色。

漫步新市古镇，参观古镇的明清建筑群，走过一座又一座充满历史感的桥，穿梭在一条又一条古镇小巷，品尝羊肉、茶糕、芽麦圆子、梅花糕等美食，再去看看千年古刹觉海禅寺，在这里感受古镇的江南风情和宁静祥和。

渔歌子

唐·张志和

西塞山前白鹭飞，

西塞山前，白鹭自由地飞翔着，

桃花流水鳜（guì）鱼肥。

江边桃花盛开，春水初涨，
水中的鳜鱼肥美。

青箬笠，绿蓑衣，

渔翁头戴青色的箬笠，身披绿色的蓑衣，

斜风细雨不须归。

冒着斜风细雨，悠闲地垂钓，
下着雨也不回家。

古诗词中的“白鹭”

孟郊《送淡公（其四）》：“短蓑不怕雨，白鹭相争飞。”

白居易《白鹭》：“何故水边双白鹭，无愁头上亦垂丝。”

杨万里《过谢家湾》：“意随白鹭一双去，眼过青山千万重。”

苏轼《再和潜师（其二）》：“惟有飞来双白鹭，玉羽琼枝斗清好。”

陆游《秋日杂咏八首（其八）》：“正疑白鹭归何晚，一片雪从天际来。”

欧阳修《送王学士赴两浙转运》：“春寒欲尽黄梅雨，海浪高翻白鹭涛。”

范成大《次韵章秀才北城新圃》：“烟霏几白鹭，风雨一绿蓑。”

吴兴八景

吴兴是湖州的古称，吴兴八景是指湖州市区及周边的八处游览胜地，分别为：

城南道场山——道场霁晓

城北弁（biàn）山——苍弁清秋

城西西塞山——西塞晚渔

城南下菰（gū）城——下菰长烟

城北弁（biàn）山黄龙洞——龙洞云归

城南吴沈门河东侧——横山暮岚

城南碧浪湖——南湖雨意

城南云巢金盖山——金盖出云

互动任务单

江南水乡的古镇与我们生活的城市有什么区别呢？和爸爸妈妈讲一讲你在古镇的感受吧。

第三站：衢州市

三衢道中

宋 · 曾幾

梅子黄时日日晴，
小溪泛尽却山行。
绿阴不减来时路，
添得黄鹂四五声。

三衢道中

宋·曾幾

梅子黄时日日晴，

梅子黄透了的时候，每天都是晴天，

小溪泛尽却山行。

乘舟走到小溪的尽头，再走山路前行。

绿阴不减来时路，

山路上苍翠的树木，
就像来的时候一样浓密，

添得黄鹂四五声。

深林丛中传来黄鹂的鸣声，增添了一些乐趣。

黄梅时节

黄梅时节一般是指春末夏初梅子黄熟的一段时期，这段时期我国长江中下游地区可能会连续下雨。黄梅时节的雨，就称为黄梅雨。

梅雨时节空气湿度很大，东西易潮湿霉烂。曾幾在《三衢道中》中写道“梅子黄时日日晴”，在梅雨时节难得有这样的好天气，诗人的心情自然也很愉悦。全诗表现出诗人乘舟泛溪，再山行于绿树浓荫时的轻松惬意。

“黄梅时节”的诗词

赵师秀《约客》：“黄梅时节家家雨，青草池塘处处蛙。”

范成大《菩萨蛮（其三）》：“黄梅时节春萧索。”

白居易《送客之湖南》：“帆开青草湖中去，衣湿黄梅雨里行。”

韩偓《赠湖南李思齐处士》：“三春日日黄梅雨，孤客年年青草湖。”

三衢石林风景区

三衢石林风景区位于浙江省衢州市常山县境内，主要由三衢山、小古山和大古山组成。景区主要是喀斯特灰岩岩溶地貌，其石林迷宫奇观千姿百态、神秘莫测，每一块石头都像是一幅画、一首诗，有着世界上最大的“象形石动物园”的美称。

三衢山的主要景点有赵公岩、三衢圣母；小古山的主要景点有猴子观海、独树江南，这里的风景险峻又奇特；大古山的主要景点有三衢长廊、紫藤峡谷、仙人洞，这里的风景气势恢宏。

行走在三衢石林风景区，一边发挥自己的想象力，欣赏嶙峋怪石，一边漫步其中，感受诗人笔下“绿阴不减来时路，添得黄鹂四五声”的意境。

互动任务单

画一画你在三衢石林风景区里所看到的石头。

江　苏

江山常迟暮，看历史里人来人往

写在旅行前

认知与接纳世界，是一切伟大或平凡幸福的前提。

可是，人生那么短，世界那么大，

认知的边界更是没有尽头，

我们要如何才能增加生命的丰富度呢？

我的答案是，走进历史，了解历史。

而走进江苏，便是最佳捷径。

因为江苏繁荣程度的快速更迭，熙熙攘攘的历史人物，

犹如历史的浓缩。

走进有着各自气质的地点：

“六朝如梦鸟空啼”的南京，

“旧时王谢堂前燕，飞入寻常百姓家”的乌衣巷，

“夜半钟声到客船”的寒山寺，

“凤去台空江自流”的金陵台……

走近往来于历史洪流里的人：

南北朝时期修建了“四百八十寺”的梁武帝，

“一片冰心在玉壶”的王昌龄，

“不知亡国恨，隔江犹唱后庭花”的秦淮商女，

“乱入池中看不见，闻歌始觉有人来”的采莲女，

“意欲捕鸣蝉，忽然闭口立”的骑牛儿童，

“一叶舟，出没风波里”的打渔人……

历史不是一个简单的答案，

认知也从来不是几句话能讲清楚的，

不如把认知历史当作一个寻宝拼图游戏，

走入江苏，爬上巨人的肩膀，

重走历史里的地方，听听这里发生过的故事，

认知历史里的人，看看他们做过的事，

一件事一件事地发现，一个点一个点地学习，

拼着拼着，世界就在眼前了。

旅行路线图

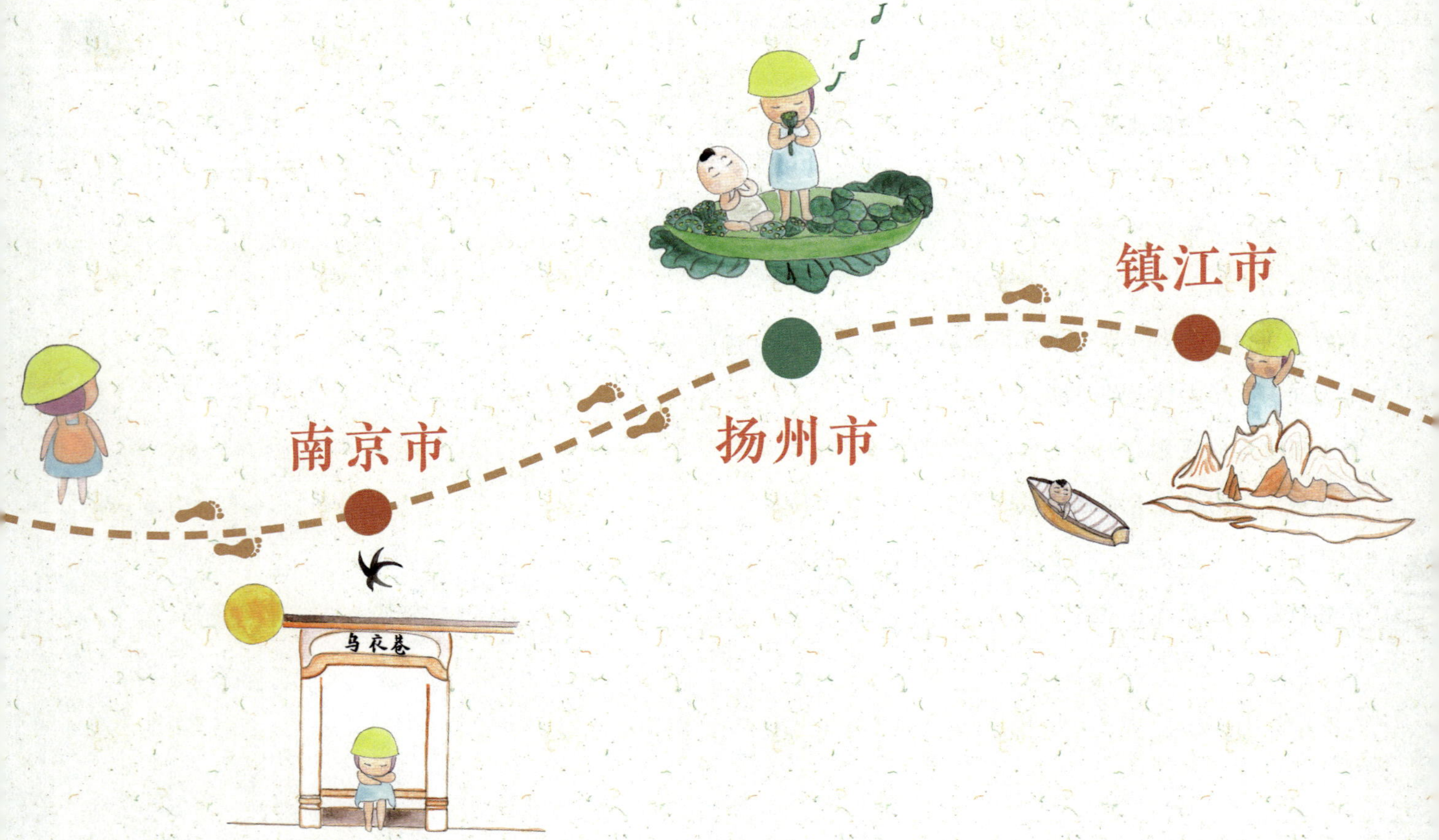

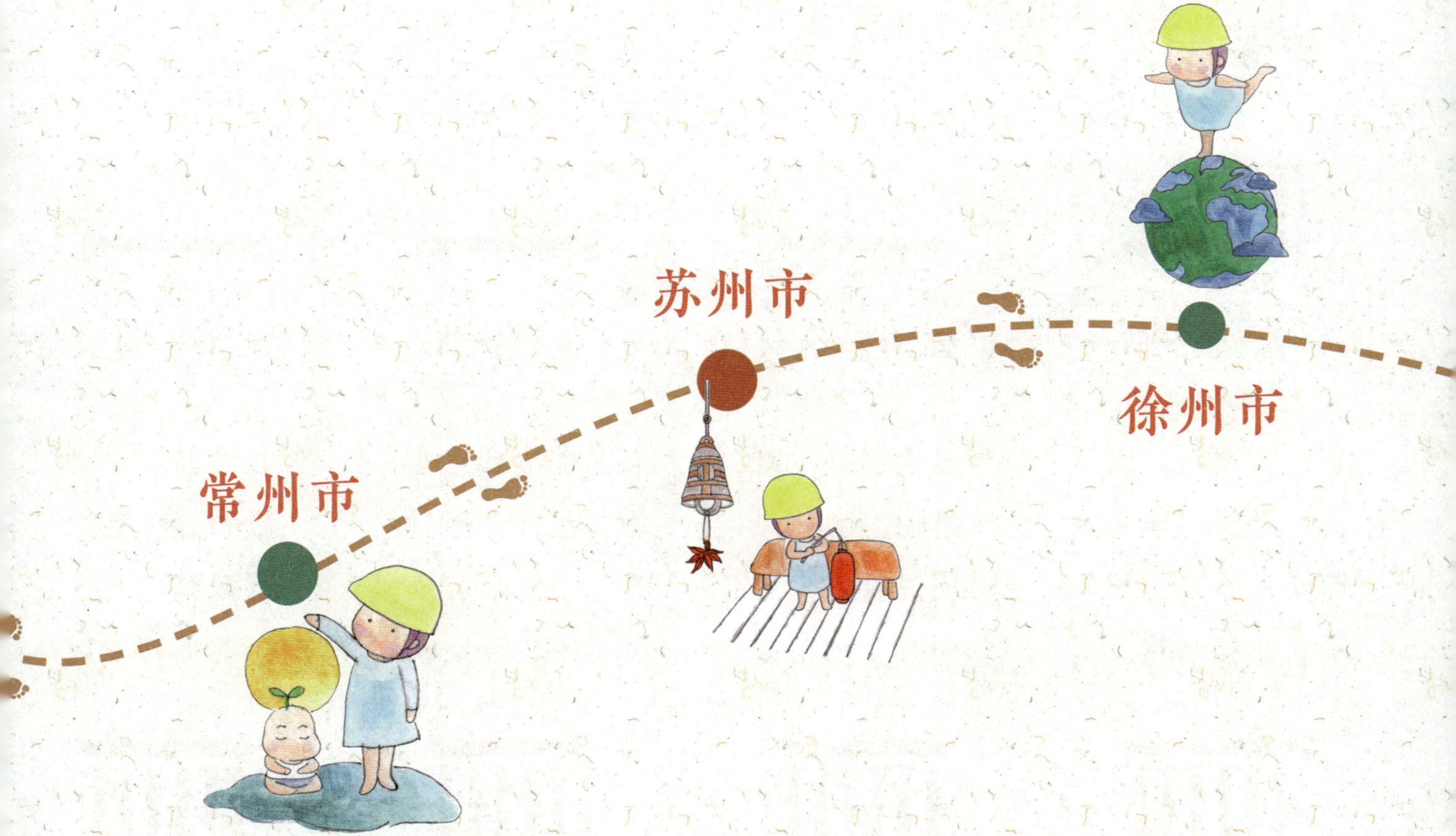
苏州市
徐州市
常州市

第一站：南京市

泊秦淮

唐 · 杜牧

烟笼寒水月笼沙，
夜泊秦淮近酒家。
商女不知亡国恨，
隔江犹唱后庭花。

江南春绝句

唐 · 杜牧

千里莺啼绿映红，
水村山郭酒旗风。
南朝四百八十寺，
多少楼台烟雨中。

乌衣巷

唐 · 刘禹锡

朱雀桥边野草花，
乌衣巷口夕阳斜。
旧时王谢堂前燕，
飞入寻常百姓家。

所见

清 · 袁枚

牧童骑黄牛，
歌声振林樾。
意欲捕鸣蝉，
忽然闭口立。

泊秦淮

唐·杜牧

烟笼寒水月笼沙，

迷蒙的烟雾笼罩着浩渺的寒江，

月色洒在小沙洲上，

夜泊秦淮近酒家。

夜色已近，
我把小船停靠在秦淮河畔靠近酒家的地方。

商女不知亡国恨，

卖唱的歌女不懂得亡国之恨，

隔江犹唱后庭花。

竟然在江对岸吟唱着《玉树后庭花》。

亡国之音《玉树后庭花》

玉树后庭花

南北朝·陈叔宝

丽宇芳林对高阁，新妆艳质本倾城。

映户凝娇乍不进，出帷含态笑相迎。

妖姬脸似花含露，玉树流光照后庭。

《玉树后庭花》是南朝亡国之君陈叔宝所作的诗歌。陈叔宝非常昏庸，生活奢侈，沉迷美色。当时有强大的隋朝南下，陈朝面临着灭顶之灾，他却整日与后宫妃子和近臣们饮酒嬉戏，不理政事。这首《玉树后庭花》是他为宠爱的妃子所作，后被称为“亡国之音”。

夫子庙秦淮风光带

夫子庙秦淮风光带位于江苏省南京市秦淮区，以夫子庙古建筑群为中心，以十里内秦淮河为轴线，集自然风光、山水园林、乡土人情等为一体。风光带沿岸有世界上最大、保存最完好的瓮城——中华门瓮城，“金陵第一园”——瞻园，明代开国功臣中山王徐达的私家花园——白鹭洲公园，中国古代最大的科举考场——江南贡院，东晋豪门贵族王导、谢安故居，伟大文学家吴敬梓故居，乌衣巷，东水关，西水关等著名景点。

来到南京，乘画舫，游秦淮，饱览沿岸的景观和景色，聆听历史趣闻、名人逸事，感受这里历史文化的积淀。

江南春绝句

唐·杜牧

千里莺啼绿映红，

辽阔的江南，处处莺歌燕舞，

绿树红花相映，

水村山郭酒旗风。

水边村寨山麓城郭，也都酒旗飘动。

南朝四百八十寺，

南朝遗留的四百八十多座古寺，

多少楼台烟雨中。

如今有多少被笼罩在这蒙蒙烟雨中。

“南朝四百八十寺”

梁武帝萧衍是南北朝时期梁朝的建立者，也是佛教的虔诚信奉者。他在位期间下令广建寺庙，全民奉佛，当时京城内的寺庙就有700多座，他甚至多次舍身出家，朝廷再花重金将其赎回。萧衍对于佛教的信仰近乎狂热，修建寺庙也耗费了无数钱财，贻误国事。然而他自己最终也没能得到福报，在“侯景之乱”中被饿死。

六朝博物馆

来到南京，六朝博物馆是快速感知六朝文化的不错选择。

六朝博物馆位于南京市玄武区，是南京最大的展示六朝文物和六朝历史文化的专题断代史博物馆。常设“六朝风采”“回望六朝”“六朝帝都”“六朝人杰”四个展览。除了展现璀璨的六朝文化，六朝博物馆的设计感也很强，有着独特的艺术气息，从空间的运用到物品的陈列，都突显着历史风韵和现代化魅力的完美结合。

乌衣巷

唐·刘禹锡

朱雀桥边野草花，

朱雀桥边长满了野草野花，

乌衣巷口夕阳斜。

乌衣巷口断壁残垣，夕阳正斜。

旧时王谢堂前燕，

从前在王谢大堂前筑巢的燕子，

飞入寻常百姓家。

如今飞入了普通百姓家中。

王谢家族

“王谢家族”是指王导和谢安，王导为东晋开辟了半壁江山，谢安保住了这半壁江山。

王导是东晋的开国大臣，历任三朝宰辅。在这期间，他一直以身作则、躬行勤俭，竭力调解矛盾，多次帮助东晋转危为安，也得到了大家的敬重。

谢安年轻时隐居，年过四十才出任丞相。有一年，东晋受到别的国家的进攻，谢安出征，以弱胜强，获得了淝水之战的胜利，在危难中挽救了东晋。

乌衣巷和王导谢安纪念馆

乌衣巷位于南京市秦淮区夫子庙秦淮风光带的核心地带，是一条历史悠久、幽静狭小的小巷子。巷子里的一砖一石，都与王导、谢安两大家族的历史紧紧相连。

王导谢安纪念馆位于乌衣巷内，是一座展示六朝文化艺术和王谢两大家族家世的专题性陈列馆，内有来燕堂、鉴晋楼、听筝堂。

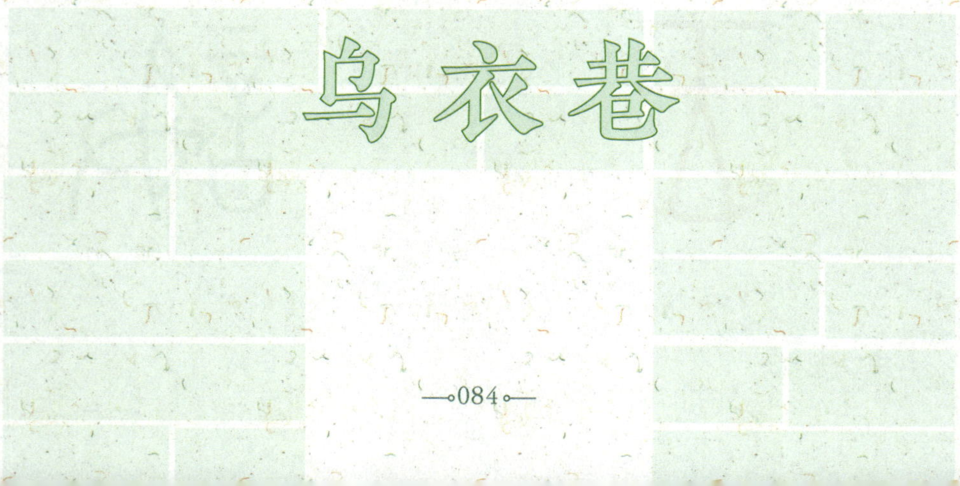

所见

清·袁枚

牧童骑黄牛，

牧童骑在黄牛背上，

歌声振林樾。

嘹亮的歌声回荡在林中。

意欲捕鸣蝉，

想要捕捉鸣叫的知了的时候，

忽然闭口立。

就马上停止唱歌，
一声不响地站在树旁。

蝉

夏天一到，我们总能听到“知了在声声叫着夏天”，不过你知道吗？只有雄性的蝉才会鸣叫。

雄性的蝉腹部像蒙了一层鼓膜的大鼓，还有雌性的蝉没有的两片盖板，盖板和鼓膜之间是空的，通过鼓膜的震动引起共鸣，从而发出鸣叫声。而雌性的蝉因“乐器”构造不完全，不能发声。

南京博物院

南京博物院位于南京市玄武区中山东路，是中国三大博物馆之一（其余两个是北京故宫博物院和台北故宫院）。

南京博物院包括历史馆、特展馆、数字馆、艺术馆、非遗馆和民国馆。南京博物院馆藏品的时间跨度上至旧石器时代，下至当代，藏品数量居全国前三。藏品既有全国性的，也有具地方特色的。

来到南京，记得去南京博物院，在这个丰富的、有韵味的地方感受历史和情怀。

互动任务单

你对南京的印象是怎样的？和爸爸妈妈交流一下。

第二站：扬州市

采莲曲二首（其二）

唐·王昌龄

荷叶罗裙一色裁，
芙蓉向脸两边开。
乱入池中看不见，
闻歌始觉有人来。

采莲曲二首（其二）

唐·王昌龄

荷叶罗裙一色裁，

采莲少女的罗裙绿得像荷叶一样，

芙蓉向脸两边开。

出水的荷花正朝着采莲少女的脸庞开放。

乱入池中看不见，

混入池中看不见踪影，

闻歌始觉有人来。

听到歌声时才察觉到有人来。

莲藕为什么有孔

莲是一种水生植物，莲藕是莲的茎，总是埋在水底的淤泥里，但水底淤泥里的空气很少，怎样保证莲藕正常呼吸、长时间泡在水里而不腐烂呢？

莲藕上的孔便起到了很重要的作用。伸出水面的莲叶叶柄通过内部的孔道把空气导入水下，再通过莲藕上的小孔把空气传达到藕节之间长出的根须，这样就保证了根部的正常呼吸、莲藕的正常生长。

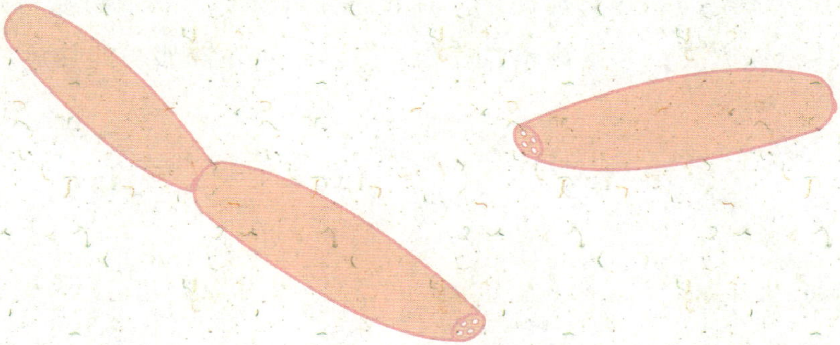

扬州瘦西湖风景区

扬州瘦西湖风景区是国家5A级旅游景区，风景秀丽，又不乏雄浑的气势。历史上许多文化名人，都曾赞叹瘦西湖的美景，留下了“烟花三月下扬州”“绿杨城郭是扬州”等名言佳句，增添了瘦西湖的人文色彩。

泛舟在瘦长曲折的湖面，有着赏不尽的湖光山色，沿岸分布着徐园、五亭桥、万花园、双峰云栈等景点，彰显着瘦西湖的秀丽自然风光和深厚文化底蕴。瘦西湖的四季也都独具风韵：春季的万花会，观赏奇花异卉，体会花与艺术、饮食、养生的结合；“瘦西湖之夏”荷花节，徜徉在风姿绰约的荷花海洋中；百花凋零的晚秋，在瘦西湖菊花会感受菊花的清新宜人；冬季的梅花蜡梅展，尽赏梅花和蜡梅的怒放。

互动任务单

你最喜欢哪种花呢？画在下面吧。

第三站：镇江市

芙蓉楼送辛渐二首
（其一）

唐 · 王昌龄

寒雨连江夜入吴，
平明送客楚山孤。
洛阳亲友如相问，
一片冰心在玉壶。

芙蓉楼送辛渐二首（其一）

唐·王昌龄

寒雨连江夜入吴，

秋冬时节的冷雨，连夜洒遍吴地，

平明送客楚山孤。

天亮送别好友后，只留下楚山的孤影。

洛阳亲友如相问，

到了洛阳，如果亲友问起我的消息，

一片冰心在玉壶。

就请转告他们，
我的心依然像玉壶里的冰一样纯洁，
没有被功名利禄等玷污。

芙蓉楼送辛渐二首（其二）

唐 · 王昌龄

丹阳城南秋海阴，
丹阳城北楚云深。
高楼送客不能醉，
寂寂寒江明月心。

金山寺与芙蓉楼

金山寺位于江苏省镇江市西北，是佛教圣地。寺内古迹众多，有慈寿塔、法海洞、留云亭、妙高台等。

芙蓉楼依山傍水，位于塔影湖畔，是一座两层的仿古建筑，与金山寺的慈寿塔隔湖相望。芙蓉楼的东北面是冰心榭，东南面是掬月亭，三者共同构成一幅别致典雅的图景。

互动任务单

如果你和你的好朋友要短暂分别，你最想跟他说什么呢？

第四站：常州市

游子吟

唐·孟郊

慈母手中线，游子身上衣。
临行密密缝，意恐迟迟归。
谁言寸草心，报得三春晖。

游子吟

唐·孟郊

慈母手中线，
游子身上衣。

慈母用手中的针线，
为远行的儿子赶制衣衫。

临行密密缝，意恐迟迟归。

临行前一针一针密密地缝制着，担心孩子回得太晚衣服会破损。

谁言寸草心，报得三春晖。

有谁敢说，子女像小草那样微弱的孝心，能够报答得了像春晖普泽一样的慈母恩情呢？

表达“感恩”的成语

感恩图报

感激他人对自己所施的恩惠而设法报答。

感恩戴德

对别人所给的恩德表示感激。

感激涕零

因感激而流泪，形容非常感激。

寸草春晖

由诗句『谁言寸草心，报得三春晖』演化而来，比喻父母的恩情深重，难以报答。

登科后

唐·孟郊

昔日龌龊不足夸，
今朝放荡思无涯。
春风得意马蹄疾，
一日看尽长安花。

中华孝道园

中华孝道园位于常州市武进太湖湾旅游度假区，以全国唯一孝子寺遗址——蓼莪（lù é）禅寺为依托，集寻根祭祖、旅行观光、觉悟教育等为一体。中华孝道园的主旨是弘扬孝道精神，园区内的各个景点都反映着孝道精神，如蓼莪源、孝道之门、思恩广场、净心池、孝子牌坊、孝子长廊等。

中华孝道园是一个孝的大学堂，父母带着孩子来到这里进行一场“修行”，感受中华民族的传统美德，从小种下一颗孝顺的种子。

互动任务单

有一天爸爸妈妈变老了，你要怎样照顾他们呢？

第五站：苏州市

枫桥夜泊

唐 · 张继

月落乌啼霜满天，
江枫渔火对愁眠。
姑苏城外寒山寺，
夜半钟声到客船。

江上渔者

宋 · 范仲淹

江上往来人，
但爱鲈鱼美。
君看一叶舟，
出没风波里。

四时田园杂兴六十首（其三十一）

宋 · 范成大

昼出耘田夜绩麻，
村庄儿女各当家。
童孙未解供耕织，
也傍桑阴学种瓜。

枫桥夜泊

唐·张继

月落乌啼霜满天，

月亮已经落下，乌鸦啼叫着，寒气满天，

江枫渔火对愁眠。

对着江边的枫树和渔火忧愁入眠。

姑苏城外寒山寺，

姑苏城外寂寞清静的寒山古寺，

夜半钟声到客船。

半夜的敲钟声都传到了客船。

写愁代表作——《枫桥夜泊》

张继，唐代诗人。唐朝安史之乱后，兵荒马乱，张继远离家乡，途经寒山寺写下了《枫桥夜泊》这首诗，表达自己的羁旅之思、家国之忧和身处乱世无归宿的忧愁。虽然这首诗是写愁的代表作，但诗中对江南深秋夜景的描写，也为我们勾勒出一幅美景：落月、乌啼、霜、江枫、渔火、寒山寺、钟声、客船。

寒山寺

寒山寺位于苏州市姑苏区，寺庙三面环水，像一颗镶嵌在古运河上的明珠。寒山寺有十二胜景：山门夕照、普明宝塔、寒山问道、和合祖庭、寒拾遗踪、千年钟声、古碑长廊、塔影伴楼、华夏诗碑、天籁响音、和合福道、枫桥夜泊。

每年除夕，寒山寺都会举行敲钟仪式，钟敲108下。一百零八，是一年十二个月，二十四个节气，七十二候的合计。钟每敲一下，代表一个烦恼随风而去，有着辞旧迎新、排忧解难的寓意。

江上渔者

宋·范仲淹

江上往来人，

江上的人来来往往，

但爱鲈鱼美。

都只喜爱鲈鱼的美味。

君看一叶舟，

你看渔人驾着像树叶一样的小舟，

出没风波里。

在大风大浪里时出时没。

诗人笔下的“鲈鱼”

魏晋时期张翰的《思吴江歌》：“秋风起兮木叶飞，吴江水兮鲈鱼肥。”

唐朝元稹的《醉题东武》：“因循未归得，不是忆鲈鱼。”

唐朝孟浩然的《与崔二十一游镜湖寄包贺二公》：“不知鲈鱼味，但识鸥鸟情。”

唐朝高适的《送崔功曹赴越》：“今朝欲乘兴，随尔食鲈鱼。”

宋朝陆游的《题绣川驿》：“归心久负鲈鱼鲙，春色初回杜若洲。”

苏州吴中太湖旅游区

苏州吴中太湖旅游区，位于苏州市西南的太湖之滨，包括东山景区、穹隆（qióng lóng）山景区、旺山景区等。

苏州吴中太湖旅游区的风景秀丽，每个景区有每个景区独特的风格：东山景区——既有山川林石之美，又有人物风物之韵；穹隆山景区——自然资源丰富，文化历史悠久；旺山景区——原生态的田园风光。另外，因地域特色和深厚的文化底蕴，这里还有多种特色文化活动：三四月期间的碧螺春茶文化旅游节，八九月份的中国太湖开捕节，九十月份的孙子兵法文化旅游节。无论何时来到苏州吴中太湖旅游区，它都会给你一份独一无二的景致与感受。

四时田园杂兴六十首（其三十一）

宋·范成大

昼出耘田夜绩麻，

白天在田里锄草，夜晚在家中搓麻线，

村庄儿女各当家。

村里的男男女女各有各自的家务劳动。

童孙未解供耕织，

小孩子虽然现在还不会耕田织布，

也傍桑阴学种瓜。

也在桑树荫下学着种瓜。

《四时田园杂兴》

《四时田园杂兴》是范成大退居家乡后的一组大型田园诗，分为春日、晚春、夏日、秋日和冬日五部分，每部分十二首，共六十首，描写了四个季节田园中的不同景象。

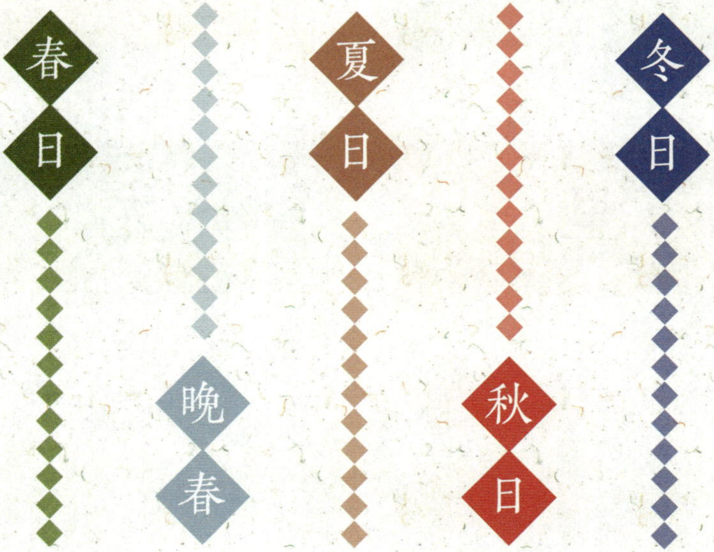

南宋四大家

范成大

陆 游

杨万里

尤 袤

石湖风景区

石湖风景区，位于苏州城西南，依山傍水，风光秀美，有许多历史遗迹散布其中。范成大也曾归隐于此。

行春桥是一座九孔连拱长桥，农历的八月十八日夜晚，行春桥的九个环洞各自倒映着一轮明月，形成“九月一串”的景象，这就是著名的石湖奇观——石湖串月。

苏州古典园林

苏州古典园林历史悠久，现保存完整的有60多处，其中，沧浪亭、狮子林、拙政园和留园并称苏州四大园林。

沧浪亭，宋代园林代表，是苏州最古老的一座园林。

狮子林，元代园林代表。园内假山遍布，多且精美，有着“假山王国”的美誉。

拙政园，明代园林代表，是苏州现存的最大园林。拙政园与北京颐和园、承德避暑山庄和苏州留园一起被誉为中国四大名园。

留园，清代园林风格。留园的园林建筑空间处理精湛，是世界闻名的建筑空间艺术处理的范例。

互动任务单

描述一下你家乡夏日的景象。

第六站：徐州市

大 风 歌

汉 · 刘邦

大风起兮云飞扬，
威加海内兮归故乡，
安得猛士兮守四方！

大风歌

汉·刘邦

大风起兮云飞扬，

大风使劲地吹啊，浮云飞扬，

威加海内兮归故乡，

我统一天下啊，衣锦还乡，

安得猛士兮守四方！

怎样才能得到勇士啊，为国家镇守四方！

从农民到皇帝的刘邦

刘邦是汉代的开国皇帝，天生长了一副好面孔，从小自命不凡，所以整日游手好闲，不愿下地干活。但他为人善良，乐善好施，结交了许多有志向的好朋友。秦代末年，民不聊生，农民起义风起云涌，刘邦带领的农民起义最终取得了胜利，建立了汉朝。

汉朝建立后，国内的反叛势力伺机而动，北方的匈奴又虎视眈眈，《大风歌》便写于这段正值内忧外患的时期。从中能感受到刘邦是一个有着远大政治抱负、雄浑豪放的人，但也表现了当时他对国家不安定的惆怅之情。

歌颂刘邦的古诗

题汉祖庙

唐·李商隐

乘运应须宅八荒，男儿安在恋池隍。
君王自起新丰后，项羽何曾在故乡。

沛　宫

唐·胡曾

汉高辛苦事干戈，帝业兴隆俊杰多。
犹恨四方无壮士，还乡悲唱大风歌。

徐州汉文化景区

徐州汉文化景区分汉代物质文化遗存展示区和汉传佛教游览区，其中汉兵马俑、汉墓（楚王陵）和汉画像石被称为“汉代三绝”。

汉兵马俑是继秦兵马俑后的又一重大发现，四千多件汉俑惟妙惟肖地展现了汉代士兵的思想、神态和情感。

楚王陵地宫的构造精致，墓中出土了许多金、银、铜、铁、玉、陶等珍贵文物，是一项重大的考古发现。

汉画像石博物馆是国内第一座以“汉画像石文化体验”为主旨的博物馆，展厅分为动漫展示与休闲区、汉画像石及拓片模拟制作互动区和汉画像石精品展区，不仅可以参观，还可以通过互动使游客充分融入、感受汉文化。

互动任务单

你觉得皇帝应该是一个什么样的人？